Collection dirigée par Michel Piquemal

Loi 49 956 du 16 juillet 1949 sur les publications destinées à la jeunesse
Dépôt légal : second semestre 2002 - N° d'édition : 12568 - ISBN : 2-226-12980-4
Imprimé en France par Pollina - N° : L87491

Amélie Sarn-Cantin

L'EMPEREUR QUI REFUSAIT L'AMOUR

Illustrations de
Rozenn Brécard

Albin Michel Jeunesse

L'EMPEREUR BARULCO ÉTAIT UN BEL HOMME QUI AIMAIT ÊTRE AIMÉ. Depuis toujours, il connaissait le pouvoir de ses charmes. Quand une femme l'attirait, il lui souriait, lui parlait à l'oreille, la faisait rire. Les femmes étaient conquises par ses yeux pétillants, la douceur de sa voix, la légèreté rassurante qu'il affichait. Il avait ainsi serré dans ses bras les plus belles, les plus intelligentes des femmes de son royaume.

Certains hommes, bien sûr, le jalousaient. Mais d'autres venaient de très loin pour tenter de percer son secret.

– Explique-moi, Barulco, lui demandait souvent un marquis de ses amis. Je fréquente des femmes, parfois je les séduis, mais elles n'ont jamais avec moi les étincelles que je vois dans leurs yeux lorsqu'elles sont avec toi.

Et Barulco riait.

– Explique-moi, lui demandait un prince de ses cousins, je tente depuis des années

de comprendre les femmes. Tu sembles avoir réussi. Qu'attendent-elles ?

Et Barulco riait.

Les princes et les marquis insistaient. Ils voulaient comprendre pourquoi, quand ils aimaient une femme, ils ne pouvaient le faire sans souffrir. Pourquoi, quand elle

les quittait, ils avaient envie de mourir. L'amour leur semblait un sentiment bien compliqué. Il était apparemment si simple pour Barulco.

Et Barulco riait de plus belle. Il riait car, pour lui, tout était facile.

Un jour, Barulco, à nouveau assailli de questions, se décida à répondre.

– Vous vous méprenez mes amis, moi, je ne crois pas en l'Amour. Jamais, je ne me suis laissé aller à promettre à une femme l'éternel amour. Lorsque j'ai séduit une femme, je ne lui offre que ce que j'ai. Nous passons de bons moments, nous partageons quelques étreintes, quelques fous rires, je bois à la coupe du plaisir et lorsque la coupe est vide, j'en choisis une autre, pleine d'un nouveau nectar. Ainsi, je ne souffre jamais.

– Mais cette souffrance est parfois délicieuse, avait protesté le marquis, ce vide que je ressens au moment où l'être aimé me quitte pour une heure ou une semaine me remplit de bonheur.

– Cette souffrance, avait insisté le prince, est également à l'origine du frisson magnifique qui m'étreint au moment où j'aperçois au milieu d'une foule l'être que j'adore.

Barulco avait cessé de rire. Il s'était presque fâché. Ces imbéciles ne comprenaient rien. Ce vide, ce frisson dont ils parlaient n'existaient que dans leur tête. La souffrance n'est que la souffrance. L'amour n'existe pas. Seul le plaisir mérite d'être vécu.

Ainsi Barulco continua de séduire les plus belles femmes du royaume. Il était heureux. Il se sentait bon. Lorsqu'il se séparait d'une femme, il avait toujours la délicatesse de lui offrir un bijou, une robe de soie, un chat persan ou un cheval alezan... Il ne répugnait

d'ailleurs pas à revoir ses anciennes conquêtes. Certaines d'entre elles avaient rencontré un homme avec lequel elles juraient être heureuses.

Barulco voyait une incomparable lumière de plénitude baigner leur visage. Et il reconnaissait aussi sur leur visage le vide et le frisson évoqués par le prince et le marquis. Il ne pouvait s'empêcher de ricaner.

Les années passaient. Si Barulco était las, cela ne se voyait pas. Le duvet de son menton était devenu barbe et avait même quelque peu blanchi. Chaque matin, il se félicitait d'avoir traversé la plus grande partie de sa vie sans être tombé dans ce qu'il nommait avec dédain et ironie « le piège de l'Amour. »

Il était toujours plein d'entrain pour s'amuser et se divertir. Son palais était, du soir au matin, le théâtre de bals et de banquets.

Un jour qu'une fête battait son plein dans la grande salle d'honneur, il éprouva le besoin de s'isoler. Il n'était pas taciturne de nature, pourtant, de temps en temps, sans bien comprendre pourquoi, il aimait à s'éloigner de la foule et du bruit. Alors qu'il descendait l'allée de sa roseraie, il aperçut une femme sur un banc. Elle semblait en grande conversation avec un oiseau posé sur une branche. Par habitude, il la détailla. Elle était grande et mince. Son visage était fin, ses mains très blanches. Elle lui plut, il s'approcha.

Elle ne se tourna pas immédiatement vers lui. Mais quand l'oiseau s'envola, elle le regarda et lui sourit. Il éprouva l'envie de la prendre dans ses bras. Il savait qu'il lui

suffirait de sourire, de s'asseoir près d'elle, de lui parler à voix basse, mais, étrangement, il n'en eut pas envie. Il voulait qu'elle lui fasse signe. Ce qu'elle fit.

–Ne voulez-vous pas vous asseoir, messire Barulco ?

Il obéit et s'entendit dire tout naturellement :

–J'ai terriblement envie de vous prendre dans mes bras.

Sa voix était hésitante, ce qui le surprit et le fâcha.

La belle le regarda au fond des yeux. Barulco se sentit nu. La belle sourit.

–J'ai très envie que vous me preniez dans vos bras, messire Barulco, dit-elle simplement.

La belle s'appelait Iris. Leur soirée fut magnifique. Barulco en oublia la fête et lorsqu'à l'aube, il rentra au palais, ses invités étaient déjà tous endormis.

Barulco revit Iris le lendemain, puis le jour suivant.

Très vite, ils passèrent toutes leurs nuits ensemble à rire et à parler. Barulco était heureux. Pourtant, parfois, une inquiétude qu'il n'expliquait pas naissait en lui.

Il voulut savoir ce qu'Iris aimait en lui.

– Est-ce le pétillant de mes yeux qui vous donne envie de partager tant de moments avec moi ?

– Plus que les étoiles qui brillent dans vos yeux, répondit la belle, c'est la profondeur de la nuit sur laquelle elles scintillent qui me donne envie de vous embrasser.

– Est-ce la douceur de ma voix qui vous donne envie de m'écouter ?

– Plus que la douceur de votre voix, ce sont les mots que vous prononcez qui me plaisent.

– Est-ce ma gaieté que vous appréciez ?

– Votre âme, dit Iris, est la plus belle que j'ai rencontrée.

Personne ne lui avait jamais parlé ainsi. Il se sentait troublé. Lorsque Iris n'était pas avec lui, il sursautait au moindre bruit de galop de chevaux. Il guettait les messagers du royaume, surveillait les pendules... Il essayait de se reprendre. Refusait de penser qu'il s'était laissé prendre aux balivernes de l'amour.

– Lorsque j'en aurai assez d'Iris, pensait-il, je la quitterai.

Mais il n'en avait jamais assez.

Un matin, alors que Barulco et Iris se promenaient, main dans la main, près de la roseraie, Iris demanda soudain :

– On raconte que lorsque vous quittez une femme, vous lui offrez un cadeau. Ferez-vous de même pour moi ?

Un frisson inconnu le parcourut. « Ces promenades dans la roseraie ne me valent rien, pensa-t-il, trop de courants d'air. »

– Ferez-vous de même pour moi ? demanda encore Iris.

– Bien... Bien sûr. Pourquoi ne le ferai-je pas ? Vous aurez ce que vous désirez.

– Je crois que le moment est venu, poursuivit doucement Iris.

Le frisson de Barulco se transforma en un tremblement qu'il maîtrisa aussitôt.

– Puis-je choisir ce qui me tient le plus à cœur dans votre royaume ?

– Bien sûr, acquiesça Barulco en essayant de ne pas se remettre à trembler.

– Je voudrais, reprit Iris qui semblait ne pas avoir remarqué le malaise de Barulco,

le grand coffre qui est dans votre chambre.
– Ce coffre, s'étonna Barulco oubliant frissons et tremblements, mais il ne vaut rien ! Qu'en feriez-vous ? Ne préférez-vous pas un collier de diamants ? Une volière remplie d'oiseaux rares ? Une propriété bordée d'un étang ?
– Non, répliqua Iris, le coffre est vieux, certes. Il est même un peu abîmé par les ans. Mais j'aimerais que vous me le donniez.
– Très bien, dit Barulco, vous pourrez le prendre ! Mais parlons d'autre chose, car il n'est pas à l'ordre du jour que je vous quitte.
Iris ferma les paupières en souriant.

Elle partit le soir même. Sans le coffre qu'elle avait demandé.

La fièvre envahit Barulco. Il fut obligé de s'aliter. Plusieurs fois, alors qu'il regardait à la fenêtre de sa chambre, il crut reconnaître la silhouette d'Iris dans la roseraie. Il se précipita. Il ne s'agissait que de l'ombre de quelque oiseau. Une souffrance intolé-

rable vrillait son être tout entier. Il se décida à faire venir un médecin réputé.

C'était un vieil homme, dont la sagesse avait fait le tour du royaume.

Il se pencha sur Barulco, posa une main ridée sur le front brûlant de l'empereur, lissa sa longue barbe blanche, secoua la tête. Il demanda au malade de tirer la langue, posa son oreille contre son cœur et se redressa.

– Vous souffrez de trop de bruit, Majesté. Gardez la chambre. L'isolement et le silence vous guériront à coup sûr. Dans moins d'une semaine, vous serez sur pied.

Barulco suivit ces conseils mais deux semaines passèrent et son état s'aggrava.

Il fit appeler un autre médecin, qui arriva,

une sacoche pleine dans chaque main. Assis sur le bord du lit, il sortit de sa sacoche des instruments étranges et regarda les oreilles de Barulco puis le fond de sa gorge. Il le fit mettre sur le dos, sur le ventre, l'obligea à se lever, à marcher, à sauter à cloche-pied.

Après cet examen, Barulco s'allongea à nouveau, épuisé.

– Vous souffrez de trop d'excès, Majesté. Plus de fêtes, plus de bals, plus de vin. Contentez-vous de manger une pomme par jour, dans moins d'une semaine vous serez guéri.

Deux semaines passèrent, l'état de Barulco s'aggrava.

Un troisième médecin vint alors donner son avis.

Il ne regarda même pas l'empereur. Il avait fait préparer, dans les cuisines du palais, un breuvage vert et gazeux qu'il ordonna à Barulco d'avaler.

Le breuvage sentait mauvais, Barulco le but néanmoins et se sentit de plus en plus mal.

De son lit, il voyait le coffre qu'Iris lui avait

demandé. Cette vision l'affaiblissait chaque jour un peu plus. Une nuit, dévoré par la fièvre, il se leva et réveilla ses serviteurs. Il exigeait une hache. Immédiatement.

À nouveau seul dans sa chambre, il leva la hache, prêt à l'abattre sur ce coffre qui réveillait en lui trop de souvenirs douloureux.

Mais il ne put aller au bout de son geste. Il lâcha la hache et se recoucha.

Au matin, une missive arriva au palais. Elle portait le cachet d'Iris.

« Puis-je sans vous déranger, lut-il, passer ce soir ? Nous pourrions dîner ensemble. »

Aussitôt, Barulco prit un bain, se poudra, s'habilla. Un regard au miroir lui confirma

ce qu'il savait déjà. Pâle et amaigri, il n'avait pas bonne mine, mais jamais dans ses yeux n'avait régné une si profonde nuit. Et c'est cette profondeur qu'Iris avait décelée et aimée.

Il sonna servantes et domestiques, ordonna qu'un somptueux repas soit préparé, il choisit lui-même le menu, se rappelant les mets préférés d'Iris, il fit venir les meilleurs vins, demanda que la table soit dressée dans sa chambre, il exigea des bouquets de fleurs rares et odorantes.

Il courait à droite, à gauche, vérifiait lui-même l'ordonnancement de chaque détail.

Lorsqu'Iris parut, un malaise le força à s'asseoir. Elle était encore plus belle que dans son souvenir.

Pour l'aider à se remettre, Iris lui servit un verre de vin et le lui tendit.

Barulco en but une gorgée et tomba aussitôt profondément assoupi.

À l'aube, il se réveilla, tout courbaturé, dans une pièce qu'il ne connaissait pas. Il se leva et s'aperçut qu'il avait passé la nuit couché dans un coffre, le vieux coffre de sa chambre.

– Bonjour, messire.

Barulco vit Iris assise devant une fenêtre. Il s'approcha d'elle.

– Mais où sommes-nous ? demanda-t-il, intrigué.

– Nous sommes chez moi, répondit Iris. J'ai hier soir versé un somnifère dans votre vin et demandé à deux serviteurs de m'aider à vous installer dans le coffre. Puis, j'ai fait porter le coffre jusqu'ici.

– Mais pourquoi ?

– Vous m'avez dit que je pourrais emporter ce qui me tenait le plus à cœur dans votre royaume. Il ne s'agissait pas du coffre. Ce qui me tient le plus à cœur dans tout votre royaume, Barulco, c'est vous, car je vous aime.

C'est ainsi que le fier empereur Barulco accepta de se laisser ravir par ce sentiment auquel il avait toujours refusé de croire : l'amour.

DANS LA MÊME COLLECTION

LES QUATRE FILS DE LA TERRE
Jacques Cassabois - Daniel Maja

LES DEUX MOITIÉS DE RÊVE
Jean-Pierre Kerloc'h - Olivier Latyk

COMMENT LES FLEURS
VINRENT AUX GENÊTS
Christian Léourier - Charlotte Mollet

SIX CAILLOUX BLANCS
SUR UN FIL
Cécile Gagnon - Natalie Fortier

L'OMBRE DU CHASSEUR
François Place - Philippe Poirier

LA MONTAGNE
AUX TROIS QUESTIONS
Béatrice Tanaka - Chen Jiang Hong

UN AMOUR BON COMME LE SEL
Mariana Cojan-Negulesco - Pierre Mornet

LA DANSE DU LOUP
Patrick Mosconi - Pierre-Olivier Leclercq

LE DERVICHE ET LE MARCHAND
Jihad Darwiche - Marc Daniau

ROC-INÉBRANLABLE
ET ROSEAU-FRAGILE
Jacqueline Held - Thomas de Coster

ANAÏT, LA FIANCÉE MALICIEUSE
Luda - Laurent Corvaisier

L'ENFANT
QUI RETROUVA LE SOURIRE
Jean-Hugues Malineau - Marcelino Truong

LE ROI, LA LUNE ET LE MENDIANT
Anne Jonas - Alexios Tjoyas

LE PEINTRE ET LE GUERRIER
Jean-Pierre Kerloc'h - François Place

LE POIL DE LA MOUSTACHE
DU TIGRE
Muriel Bloch - Aurélia Grandin

LE DÉFI DU ROI-CHEVAL
Maryse Lamigeon - Élène Usdin

ITO OU LA VENGEANCE
DU SAMOURAÏ
Evelyne Reberg - Olivier Tallec

MAHAKAPI, LE SINGE ROI
Patrice Favaro - Muriel Kerba

LES TROIS ARBRES DE LA VIE
Giorda - Charlotte Gastaut

L'HIPPOPOTAME
QUI SE TROUVAIT VILAIN
Mohammed Dib - Emmanuel Kerner

LE SONGE DE LA PRINCESSE
ADETOLA
Béatrice Tanaka - Olivier Latyk

LA GAZELLE AUX YEUX D'OR
Jean Siccardi - Nathalie Novi

JARZABAN ET LE TYRAN
François David - Julie Baschet

Amélie Sarn-Cantin est née en 1970. Petite, elle passe la majorité de son temps perchée en haut d'un arbre à dévorer des livres. Elle vit aujourd'hui en Bretagne, au cœur de la forêt de Brocéliande, mais ne grimpe plus aux arbres pour assouvir sa passion de la lecture. Elle a publié une vingtaine de romans et d'histoires pour les enfants, et chez Albin Michel, elle vient de publier un roman pour adultes.

Rozenn Brécard est née en 1974 au bord de la mer. Elle a, depuis toujours, un carnet et des crayons au fond de ses poches pour dessiner et décrire tout ce qui se passe autour d'elle : dans l'autobus, dans le train, à la laverie, sur les marchés, dans les cafés, ou n'importe où. Elle dessine même parfois en marchant. Avec tout ça, elle se constitue un véritable réservoir d'images, de souvenirs et de couleurs pour ses illustrations. *L'empereur qui refusait l'amour* est son premier livre.